Ce livre apparť

Nom :

Adresse :

Offert par :

le 201...

martine

un trésor de poney

Texte de Jean-Louis Marlier

d'après les albums de Gilbert Delahaye et Marcel Marlier

Martine, Jean et Alain
adorent aller à vélo
chez leur grand-mère.
Cette fois-ci, elle leur a
promis une belle surprise !

À leur arrivée, les enfants découvrent deux poneys dans le champ à côté de la maison.

– Je veux les caresser ! s'écrie Alain qui court immédiatement à leur rencontre.

Les animaux, d'habitude farouches, accueillent gentiment le petit garçon.

Patapouf aussi est très curieux !

Mais Jessy, le petit poney,
qui n'a jamais vu de chien,
se lance à sa poursuite.

– Au secours ! hurle Patapouf en détalant à toute allure.

— Pour les apprivoiser,
il faut de la patience,
a déclaré Mamie.

Martine a d'abord mis un licol à Princesse, la maman poney.

Ce n'est pas facile !

– Ne lâche pas la longe, Martine ! crie Jean.

Les poneys adorent
qu'on les brosse.
Les trois enfants
cajolent leurs
nouveaux amis en
leur frottant le dos.
– Pas peur, pas peur,
petit poney,
supplie Alain.

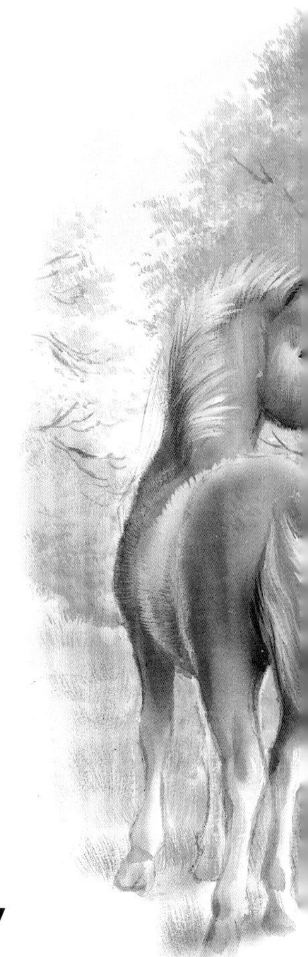

La confiance s'installe.

Après quelques jours,
les poneys connaissent bien
Martine et ses frères.

– Va ! Princesse ! Va,
dit Martine.
Au pas, d'abord.

Puis au trot. Oui, c'est parfait !
La crinière légère vole au vent.
– C'est le plus beau poney du monde, crie Alain.
Même Patapouf admire le spectacle !

Princesse s'en sort très bien.
Il faut dire qu'elle a une très
bonne maîtresse !

Martine prononce soudain les mots magiques :

– Au galop !

Princesse s'élance, et galope plus vite que l'éclair !

Quel beau spectacle !

Alain n'a qu'une envie :
monter sur un poney.
Martine et Jean se chargent
de lui trouver un bel habit
de cavalier dans la sellerie.

Une bombe, des bottes :

il a fière allure !

Pas facile de grimper sur la selle quand on est haut comme trois pommes. Heureusement, Martine est là pour aider son frère.

Elle a vérifié la hauteur des étriers, et Alain glisse ses petits pieds dedans.

– Hop !

– Regardez ! Regardez tous !

Voilà un nouveau cavalier.

Alain est fier, tout en haut

de son poney.

Le lendemain, Oncle André propose une activité géniale : une promenade à dos de poney, avec campement dans la forêt ! Un cheval tire la charrette, et Martine monte sur le dos de Princesse pour indiquer le chemin.

Comme elle est contente !

– Vous voici devenus de vrais cow-boys, mes petits neveux, s'exclame l'oncle André. Après cette longue chevauchée, vous avez bien mérité un peu de repos.

Oncle André sort alors sa guitare.

Bercé par les jolies
mélodies du Far-West,
Alain ne tarde pas
à s'endormir.

Il rêve de son gentil poney,

et des belles aventures

qui les attendent...

http://www.casterman.com
D'après les personnages créés par Gilbert Delahaye et Marcel Marlier / Léaucour Création.
Achevé d'imprimé en avril 2013, en Chine. Dépôt légal : Mai 2009 ; D. 2009/0053/284.
Déposé au ministère de la Justice, Paris (loi n° 49.956 du 16 juillet 1949
sur les publications destinées à la jeunesse).
ISBN 978-2-203-02221-8
L.10EJCN000130.C008